ギルガメシュ，
古代都市ウルクの
強大なる王は，
永遠の命を
もとめて，
さいごの旅に
出る。
それは，
長く苦しい
旅であった……

ギルガメシュ王 さいごの旅

ルドミラ・ゼーマン文/絵　松野正子訳

岩波書店

　川が海にそそぎこむ地のはてに，つかれはててたおれている男。
これは，ギルガメシュ？　これか？　ウルクの都に巨大な城壁をきずいて古代世界に名をはせ，
ウルクの人びとに愛され，うやまわれてきた，あの，力あふれる王，ギルガメシュ？　なぜ？
王を，このようなありさまにし，このようなところへこさせたものは，なに？

　それは，死──死の恐怖でした。死は，ギルガメシュの親友エンキドゥをうばいさりました。
そのまえに，死は美しいシャマトをつれさっていました。二人のたましいが，鳥となって
とびさるのを見て，ギルガメシュ王は心をきめたのでした。死がウルクの人びとから
自分をうばいさるまえに，死をほろぼしてしまうことを。
そして，王は，永遠の命をもとめて，さいごの旅に出たのでした。

　ギルガメシュは，はるばると旅をつづけましたが，もとめるものを見つけることは
できませんでした。つかれはてて死にかかって，たおれているギルガメシュの耳に，
なつかしい声がきこえました。目をあけると，一羽の鳥がいました。

シャマトのたましいが、王をたすけにきたのでした。
「あきらめては、いけません。ギルガメシュ。」と、シャマトはいいました。「ごらんなさい、ほら！ あのマシュー山の、ふたつのいただきのあいだを！ 太陽神がねむりにおりていきます。太陽神は、昼のあいだ、すべてのものを見ています。永遠の命のあるところも知っています。さあ、立って、ついていきなさい。」
ギルガメシュは力をふるいおこして立ちあがり、旅をつづけました。

山はけわしく、ギルガメシュはへとへとでした。太陽はしずみ、月が、ぶきみなかげをなげかけました。とがった石が服をひきさき、けものたちがおそいかかりました。ギルガメシュは、たたかい、おいちらして、すすみました。太陽においつかなくてはなりません。やっと、山のいただきに近づいたとき、たすけをよぶ、かすかな声がきこえました。

まだ若いライオンが、崖にしがみついていました。
ギルガメシュは手をのばして、たすけあげました。
むかし、ウルクの城壁からおちかかった王を、
エンキドゥがたすけてくれたように。
そこへ、二ひきの大サソリがあらわれて、さけびました。

「よくも、ここまできたな！ おれたちは太陽の王国を
まもっている。命がおしければ、とっとかえれ。」
ギルガメシュは、ひるまず、サソリにむかって、
「我は太陽神に会いにきた。とおせ！」と命じました。

　サソリたちは、その勇気におどろき、ギルガメシュとライオンを深い穴のなかへ、おろしてくれて、いいました。
「ゆけ。光を見つけ、光にしたがえ。」
　ギルガメシュとライオンは、こごえそうに寒く、おそろしいものたちのいるトンネルのおくへと、すすみました。
　ながいあいだ、くらやみのなかをあるきまわったあとで、ゆくてにひとすじの光が見えました。ギルガメシュは、光にむかってすすみました。

ギルガメシュとライオンは、光かがやく庭に出ました。太陽神の庭でした。まさしく、そこは、楽園でした。木や草は、きらきらとかがやき、花はあまくかおり、いきものたちは、のびのびとしていました。
「ここで休んではどうかな？」と、太陽神がいいました。
けれども、ギルガメシュは、それをことわり、「我は、永遠の命のひみつをもとめている。我に助力を。」といいました。
「そのひみつを知るものは、ただひとり。それは、ウトナピシュティム。」と、太陽神はいいました。
「光が、おまえをみちびくだろう。」

ギルガメシュは,太陽の光にみちびかれ,やけつく砂漠をこえていきました。あつさにたおれたライオンをせおい,ギルガメシュはあるきつづけました。砂ぼこりで,目はほとんど見えず,のどはからからでした。足をひきひき,ギルガメシュは,砂のなかを,けんめいにすすみました。
ついに,はるかかなたの地平線に,ブドウのつるにおおわれた,りっぱな建物が見えました。

　ようやく、そこにたどりついたギルガメシュを、美しい女の人が、おそろしそうに見つめました。
　「あやしいものではない。」と、ギルガメシュはいいました。「我は王なり。ウトナピシュティムと永遠の命のひみつをさがして、旅をしてきたのだ。」
　「ウトナピシュティムのところへは、いけません。」と、女の人はいいました。「ウトナピシュティムは死の海にまもられた島に住んでいます。旅などやめて、ここでおくらしなさい。わたくしはシドゥリ。神々のために、ブドウ酒をつくっています。ここにいて、お酒をのんで、おどって、たのしくおすごしなさいな。」

「長い苦しい旅をしてきたのだ。あきらめるわけには、いかない。」と、ギルガメシュはいいました。「たすけてほしい。舟をかしてくれ。」
「死の海をこえられるのは、太陽だけです。」と、シドゥリはいいました。「死の海は、水にふれるオールを、のこらずうばってしまいますよ。」
けれども、ギルガメシュは心をきめて森へ行き、120本のオールをつくり、出発しました。

ウトナピシュティムのいる島が見えてきました。島をまもる死の海流が、つぎつぎにオールをのみこみ、ギルガメシュは新しいオールをつかんでは、つきすすみました。あたりには、死の海にほろぼされたものの骨が

ういていました。空が暗くなり、はげしい風がふきつけ、さいごのオールが、あれくるう海にのみこまれました。

「わが旅は、まさに終わりにちかい。ここで、しっぱいするわけにはいかぬ。」ギルガメシュは、さけびました。

　さいごの力をふりしぼり、ギルガメシュはシャツをさいて、風にむかってかかげ、帆にしました。舟が島についたのを見て、ウトナピシュティムは、おどろいていいました。
「なにものだ？　ここへくるとは、神か、それとも、人間か？」

「我はギルガメシュ、ウルクの王なり。」と、誇りにみちた声がこたえました。「永遠の命のひみつをたずねにきたのだ。」
「手にいれることのできないものをさがしもとめるのは、やめなさい。」と、ウトナピシュティムはいいました。「ただ、神のみが、永遠に生きることができるのだ。」

「あなたは、むかし、我とかわらぬ人の身であった。」と、ギルガメシュはいいかえしました。「いかにして、永遠に生きるものとなられたのか？」
「それを知りたければ、」と、ウトナピシュティムはこたえました。「六つの昼と七つの夜のあいだ、目をさましていなくてはいけない。この壁にほりこんであるわたしの物語を、わたしが読むあいだ、ねむってはなりませんぞ。」
ギルガメシュは、ねむらないと約束し、ウトナピシュティムは、読みはじめました。
「わたしがシュルッパクの王であったとき、人びとは悪におぼれ、

これを怒った神々は、大洪水をおこして、すべてをほろぼすことにきめた。わたしだけは、警告をあたえられた。大きな箱舟をつくり、家族と、あらゆる種類の動物と植物をつみこめと。わたしが、それをしおえると、ただちに、あらしがやってきた。六日と七晩、雨がふりつづき、地は水びたしになった。

たすかったのは、わたしの舟だけであった。雨がやみ、水がひくと、箱舟は山の上にあった。わたしは、ひざまずいて感謝した。動物たちを外に出し、植物をうえた。そのとき、神々が大いなる光とともにおりてきて、わたしとわたしの妻に、永遠の命をさずけてくれた。」
ウトナピシュティムは物語をおえて、ギルガメシュに目をむけました。ギルガメシュはねむっていました。

ウトナピシュティムは悲しげにいいました。「あなたは、命にかぎりのあるものとして、ここへきた。そして、命にかぎりのあるものとして、ここを去らねばならない。行きなされ、ギルガメシュよ。」
ギルガメシュは、「もういちどだけ、チャンスを！」とたのみました。ウトナピシュティムは、ギルガメシュをあわれんで、心をやわらげていいました。
「海にそそぐ、あの光を見なされ。あそこの海の底に、若さをさずける草がはえている。その草は死をまぬがれさせることはできないが、命あるかぎり、若さをたもたせてくれるだろう。」

ギルガメシュは、ふたたび、おそろしい海流をこえて、天からの光がそそいでいるところまで、舟をすすめました。そして、水にとびこみ、海底の草をひきぬくと、しっかりつかんで、舟にもどりました。
ギルガメシュは、おおよろこびで、ライオンにいいました。「どうだ！ この草は、ウルクの年老いた人びとを、若がえらせる。我もまた、年老いたとき、これを食べ、若さと力をとりもどすのだ。」
ギルガメシュは、ウルクへかえる長い旅路につきました。永遠の命のひみつを見つけることはできませんでしたが、たいせつな宝を手にいれていました。

舟が美しい島のそばをとおりました。ギルガメシュは島にあがり，おいしいくだものを食べて，やすみました。ギルガメシュは，ねむり，夢を見ました。人びとに若さとしあわせをあたえる宝をもって，ウルクにかえりつく夢を。

ぐっすりねむっていたギルガメシュは，ヘビが木からすべりおりてくるのに，気がつきませんでした。

「しかえしだ，ギルガメシュ！」おそろしいイシュタールの声に，ギルガメシュは，はっと目をさましました。若がえりの草は，すっかり，イシュタールにのみこまれていました。

イシュタールは，ギルガメシュに結婚をことわられた，

むかしのうらみをはらしました。
「ああ、イシュタール、邪悪なるものよ。おまえは、わが友エンキドゥを殺し、いまは、また、わが希望を殺した。」ギルガメシュはさけび、そして、泣きました。
このような終わりをむかえるには、あまりに長く苦しい旅でした。

とつぜん、ギルガメシュを呼ぶ声がきこえました。エンキドゥの声でした。鳥になった親友のエンキドゥがもどってきたのでした。ギルガメシュとエンキドゥは、しっかりとだきあいました。
「シャマトが、わたしを、あの世からよこした。きみをたすけに。」と、エンキドゥはいいました。

「さあ，わたしのせなかに乗りたまえ。きみに見せるものがある。」

エンキドゥはシュメールを流れる川をこえ，はるかウルクの都へと，とんでいきました。ギルガメシュは，はじめて，自分の王国を上空から見ました。いくつもの大きな寺院，りっぱな家々，美しい庭園。そして，なによりもみごとなのは，都をとりかこむ壮大な城壁でした。ギルガメシュのむねは，誇りとしあわせでいっぱいになりました。いままでにない，大きな大きな誇りとしあわせでした。

「ギルガメシュよ。ここに，きみのもとめた永遠の命がある。」エンキドゥはいいました。「きみがきずいたウルクの都，きみがしめした勇気，きみがしてきたさまざまの良いこと。きみは，人びとの心のなかに，永遠に生きつづけるだろう。」

ギルガメシュ王の物語

　ギルガメシュ叙事詩は，世界最古の物語の一つで，5000年以上昔に，メソポタミア（今のイラクとシリアのあるところ）で，粘土板に記されました。メソポタミアに住んだいろいろな人々が，この物語をさまざまに語り伝えましたが，どの話でも，ウルクの都の王ギルガメシュは，親友エンキドゥの死後，永遠の命を求めて旅に出ます。ギルガメシュの旅は失敗に終わります。永遠に生きられるのは神々だけだからです。この苦難にみちた旅が失敗に終わるということが，ギルガメシュを世界の文学における最初の悲劇的な（人間的であるのはもとより）主人公にしたのです。

　世界の最初の文明都市の多くは，川沿いにつくられましたから，洪水の物語は，ほとんどの都市につきものです。メソポタミアとは，川と川とのあいだの土地という意味で，ウトナピシュティム（ユダヤ教－キリスト教ではノア）の語る大洪水の話は，どのギルガメシュ物語にも挿入されている重要な〈知恵の書〉です。地図を見ると，イラクには二つの川，チグリス川とユーフラテス川があります。洪水は予見することはできません。突然おそう洪水は，川沿いの都市に住む人々に災害をもたらし，その人々の世界観に影響を与えました。イラクの二つの川の流れが変わったあと，ギルガメシュの愛したウルクの都は廃墟となり，まわりの土地は今のような砂漠になりました。

　メソポタミアの人々は，地獄とよばれる恐ろしい場所のことを語った最初の人々でした。それが後に，ユダヤ教－キリスト教の考えに受け入れられることになったのでしょう。ギルガメシュが，その旅の途中でこえていったさまざまの恐怖，恐ろしいものは，古典文学や中世芸術のなかに繰り返し出てきています。19世紀の画家グスタヴ・ドレは，この物語の恐ろしいイメージに影響されて，ダンテの『神曲』の挿絵を描きました。ルドミラ・ゼーマンは，また逆にドレの描いたものを自分の作品にとりいれていますが，ゼーマンのもっとも大きな寄与は，世界各地のすぐれた博物館に保存されている彫刻や遺物を調査して，それらを独自の想像力をもちいて，古代世界を再創造したことです。

　たとえば，その力と勇気のシンボルとして，ライオンたちをつれたギルガメシュの姿をしめす粘土板がいくつも発掘されていますが，ゼーマンはギルガメシュの最後の旅にライオンを同行させています。

　ギルガメシュが不滅であることは，有名なウルクの都ばかりでなく，もっと偉大なものによっても，たしかに，わかります。文学によってです。ギルガメシュは，西洋の文学の最初の英雄です。ギルガメシュはわたしたちが英雄というものに結びつけて考えるすべての美徳――勇気，思いやり，誠実さ，困難にあっての粘り強さ，理想にむかっての献身的努力など――を体現しています。そして，古代ギリシャのユリシーズやローマのアイネアースから，またブリテンのアーサー王から現代の文明社会の人気者，惑星から惑星へととびまわる旅人たちにいたるまで，わたしたちの英雄の魅力はすべて，ギルガメシュがだいじにし，ギルガメシュが身をもって示したと伝えられる英雄的な資質と行いとの基準のおかげをこうむっています。このように，ギルガメシュは，まさに，不滅なのです。

　この美しく，しかし，ほとんど忘れられていた，古代の物語〈ギルガメシュ叙事詩〉をいきかえらせた全ての考古学者たちに，この本を捧げます。

ルドミラ・ゼーマン

THE LAST QUEST OF GILGAMESH

Retold and Illustrated by Ludmila Zeman
Text and Illustration Copyright © 1995 by Ludmila Zeman

This Japanese edition published 1995
by Iwanami Shoten, Publishers, Tokyo
by arrangement with Tundra Books,
a division of Penguin Random House Canada Limited, Toronto.

大型絵本
ギルガメシュ王さいごの旅

1995年10月4日　第1刷発行
2019年12月25日　第7刷発行

文・絵　ルドミラ・ゼーマン
訳　者　松野正子
発行者　岡本　厚
発行所　株式会社岩波書店
　　　　〒101-8002　東京都千代田区一ツ橋2-5-5
　　　　電話案内 03-5210-4000　https://www.iwanami.co.jp/

印刷・半七印刷　製本・松岳社

ISBN4-00-110620-5　　　　Printed in Japan